RERUM NOVARUM

LEÃO XIII

RERUM NOVARUM

Paulinas

©Amministrazione del Patrimonio della Santa Sede Apostolica
©Dicastero per la Comunicazione – Libreria Editrice Vaticana, 1965
Tradução ©Conferência Nacional dos Bispos do Brasil

Tradução: *Manuel Alves da Silva, S. J.*

18ª edição – 2009
9ª reimpressão – 2025

Nenhuma parte desta obra poderá ser reproduzida ou transmitida por qualquer forma e/ou quaisquer meios (eletrônico ou mecânico, incluindo fotocópia e gravação) ou arquivada em qualquer sistema ou banco de dados sem permissão escrita da Editora. Direitos reservados.

Cadastre-se e receba nossas informações
paulinas.com.br
Telemarketing e SAC: 0800-7010081

Paulinas
Rua Dona Inácia Uchoa, 62
04110-020 – São Paulo – SP (Brasil)
📞 (11) 2125-3500
✉ editora@paulinas.com.br

© Pia Sociedade Filhas de São Paulo – São Paulo, 1965

CARTA ENCÍCLICA
DE SUA SANTIDADE O PAPA LEÃO XIII

RERUM NOVARUM

(15 de maio de 1891)

SOBRE A CONDIÇÃO DOS OPERÁRIOS

Esta Encíclica sobre a "questão operária" é a mais popular do papado dos últimos tempos, como a chamada "questão social" foi a mais ardentemente debatida de um século para cá. A *Rerum Novarum* pode colocar-se ao lado das grandes definições conciliares e das encíclicas pontifícias mais importantes pela ressonância social produzida e pelo influxo que ainda agora exerce, porque definem uma posição da Igreja docente em horas críticas de desorientação e controvérsia e assinalam uma orientação segura que há de perdurar durante gerações e gerações. A *Rerum Novarum* foi para a ação social cristã, o que foi o manifesto dos Comunistas (1848) ou o *Capital de Marx* para a ação socialista. Opõe-se diretamente à ação socialista. Marx e Leão XIII partindo da verificação da gritante desigualdade econômica entre plutocracia e proletariado, quiseram, ambos, realçar a classe dos operários, oprimida pelo liberalismo econômico que consagrava a opressão dos mais fortes sobre os mais fracos ou se desinteressava da luta social. Marx quis resolver o conflito entre capital e trabalho, suprimindo o capital e reduzindo tudo a trabalho. Ao seu materialismo histórico parecia que a história era determinada pelo fato da produção econômica, à qual estava ligada a luta de classes; e no seu materialismo filosófico, para que não houvesse fugas desta sujeição de tudo e de todos à economia da produção, quis expulsar do seu sistema toda a espiritualidade, toda a religião, aumentando assim ilimitadamente o círculo da escravidão. E nisto se une o socialismo com o industrialismo mais odioso.

Leão XIII viu a sua encíclica aclamada por uma grande parte dos católicos, tolerada, com reservas e murmurações, por outra, exaltada ou escarnecida, segundo as filosofias, fora do campo católico. Mas, como é próprio dos documentos da Igreja, que está habituada a ver os fenômenos do alto e de longe, a sua "carta do trabalho" assumiu, pouco a pouco, maior importância no decurso dos anos, isto é, à medida que os acontecimentos davam razão ao leonino Pontífice, "Pastor da humanidade". Ele tinha haurido critérios e leis da antiga e eterna sabedoria do Evangelho, através das realizações históricas da Igreja, das obras dos Padres e especialmente do genial sistematizador, santo Tomás de Aquino, e valendo-se de tentativas mais práticas dos católicos dos últimos tempos no campo social.

O documento começa por colocar a questão, melhor, os termos do conflito, tornado possível pela supressão das corporações de artes e ofícios (querida pela burguesa Revolução Francesa) e pela secularização das instituições públicas provocando uma concorrência desenfreada e uma usura exploradora. Aponta a solução marxista, que julga subversiva da ordem social. E contra ela reivindica o direito do homem à propriedade particular. A terra, com os seus bens, é dada ao homem para usufruto universal; mas para que este se realize é um ótimo meio a propriedade, que é conforme com a natureza e sancionada pela lei positiva, pelo direito natural e pela ética cristã.

Os socialistas, para realizar o seu sistema comunista, dissolvem a família no Estado, ao mesmo tempo que dissolvem as economias particulares na economia coletiva. Mas a família é anterior ao Estado e deve encontrar nele proteção e não opressão. Perante os perigos que a solução marxista apresenta, de destruição da iniciativa individual e da família, além da riqueza em geral, a Igreja surge, com pleno direito, para dizer a sua palavra de magistério. E, naturalmente, contra as teorias da luta de classes, propugna a colaboração de operários e patrões no respeito mútuo dos direitos e na prática recíproca das obrigações.

Quanto à riqueza, o Papa recorda a distinção entre a posse e o seu uso. A posse é particular, o uso é universal. Quanto à pobreza, e ao trabalho inseparável dela, ele reivindica a sua dignidade. O exemplo da ação da Igreja, para quem todos os homens de todas as classes são iguais, porque filhos do mesmo Pai, orienta para a solução da justiça e da caridade, na concorde colaboração das classes. Também o Estado deve concorrer para a solução desejada. Não deve absorver a iniciativa particular e a vida familiar, mas proteger os legítimos direitos e as atividades de todos, com especial cuidado dos pobres e fracos; salvaguardar a propriedade particular; prevenir as causas das greves, prejudiciais a toda a comunidade; proteger a vida religiosa, tendo particular importância o descanso dominical; reprimir a exploração dos operários feito com trabalho excessivo e com salário insuficiente (e sobre este não se pode aceitar sem mais a regra liberal do livre consentimento das partes, desde que, num operário sem recursos, a liberdade de escolha não existe). O salário deve ser suficiente ao sustento de quem trabalha e da família de que é responsável. Quando o salário é como o exige a justiça natural, o operário poupado pode acumular economias, com as quais constitui uma propriedade, e com a propriedade elevar-se socialmente, de modo a aproximar-se da classe remediada e assim reduzir as distâncias que hoje constituem o perigo da luta de classe. Assim se realizaria uma distribuição mais eqüitativa da riqueza. Leão XIII compraz-se em antever os benefícios religiosos, morais e materiais que tal reagrupamento dos operários católicos dará a si e às suas famílias, e também à comunidade inteira.

Em suma, para dar a justiça às classes, ajuda, sobretudo, a caridade de Cristo. E por esta a Igreja, por meio do episcopado e de todo o clero, pode oferecer uma contribuição solucionada.

Igino Giordani

Introdução

1. A sede de inovações, que há muito tempo se apoderou das sociedades e as tem numa agitação febril, devia, tarde ou cedo, passar das regiões da política para a esfera vizinha da economia social. Efetivamente, os progressos incessantes da indústria, os novos caminhos em que entraram as artes, a alteração das relações entre os operários e os patrões, a influência da riqueza nas mãos dum pequeno número ao lado da indigência da multidão, a opinião enfim mais avantajada que os operários formam de si mesmos e a sua união mais compacta, tudo isto, sem falar da corrupção dos costumes, deu em resultado final um temível conflito.

Por toda a parte, os espíritos estão apreensivos e numa ansiosa espera, o que por si só basta para mostrar quantos e quão graves interesses estão em jogo. Esta situação preocupa e põe ao mesmo tempo em exercício o gênio dos doutos, a prudência dos sábios, as deliberações das reuniões populares, a perspicácia dos legisladores e os conselhos dos governantes, e não há, presentemente, outra causa que impressione com tanta veemência o espírito humano.

É por isso que, veneráveis irmãos, o que em outras ocasiões temos feito, para bem da Igreja e da salvação comum dos homens, em nossas encíclicas sobre a **soberania política, a liberdade humana, a constituição cristã dos Estados** (alude-se aqui às Encíclicas *Diuturnum* 1831, *Immortale Dei* 1885, *Libertas* 1888) e outros assuntos análogos, refutando, segundo nos parece oportuno, as opiniões errôneas e falazes, julgamos dever repeti-lo hoje e pelos mesmos motivos, falando-vos da **Condição dos Operários**. Já temos tocado esta matéria muitas vezes, quando se nos tem proporcionado o ensejo; mas a consciência do nosso cargo apostólico impõe-nos como um dever tratá-la nesta Encíclica mais explicitamente e com maior desenvolvimento, a fim de pôr em evidência os princípios duma solução, conforme à justiça e à eqüidade. O problema nem é fácil de resolver, nem isento de perigos. É difícil, efetivamente, precisar com exatidão os direitos e os deveres que devem ao mesmo tempo reger a riqueza e o proletariado, o capital e o trabalho. Por outro lado o problema não é sem perigos, porque não poucas vezes homens turbulentos e astuciosos procuram desvirtuar-lhe o sentido e aproveitam-no para excitar as multidões e fomentar desordens.

Causas do conflito

2. Em todo caso, estamos persuadidos, e todos concordam nisto, de que é necessário, com medidas prontas e eficazes, vir em auxílio dos homens das classes inferiores, atendendo a que eles estão, pela maior parte, numa situação de infortúnio e de miséria imerecida. O século passado destruiu, sem as substituir por coisa alguma, as corporações antigas, que eram para eles uma proteção; os princípios e o sentimento religioso desapareceram das leis e das instituições públicas, e assim, pouco a pouco, os trabalhadores, isolados e sem defesa, têm-se visto, com o decorrer do tempo, entregues à mercê de senhores desumanos e à cobiça duma concorrência desenfreada. A usura voraz veio agravar ainda mais o mal. Condenada muitas vezes pelo julgamento da Igreja, não tem deixado de ser praticada sob outra forma por homens ávidos de ganância, e de insaciável ambição. A tudo isto deve acrescentar-se o monopólio do trabalho e dos papéis de crédito, que se tornaram o quinhão dum pequeno número de ricos e de opulentos, que impõem assim um jugo quase servil à imensa multidão dos proletários.

A solução socialista

3. Os socialistas, para curar este mal, instigam nos pobres o ódio invejoso contra os que possuem, e pretendem que toda a propriedade de bens particulares deve ser suprimida, que os bens dum indivíduo qualquer devem ser comuns a todos, e que a sua administração deve voltar para os Municípios ou para o Estado. Mediante esta transladação das propriedades e esta igual repartição das riquezas e das comodidades que elas proporcionam entre os cidadãos, lisonjeiam-se de aplicar um remédio eficaz aos males presentes. Mas semelhante teoria, longe de ser capaz de pôr termo ao conflito, prejudicaria o operário se fosse posta em prática. Outrossim, é sumamente injusta, por violar os direitos legítimos dos proprietários, viciar as funções do Estado e tender para a subversão completa do edifício social.

A propriedade particular

4. De fato, como é fácil de entender, a razão intrínseca do trabalho compreendido por quem exerce uma arte lucrativa, o fim imediato visado pelo trabalhador, é conquistar um bem que possuirá como próprio e como pertencendo-lhe; porque, se põe à disposição de outrem as suas forças e a sua indústria, não é, evidentemente, por outro motivo senão para conseguir com que possa prover ao seu sustento e às necessidades da vida, e espera do seu trabalho, não só o direito ao salário, mas ainda um direito estrito e rigoroso para usar dele como entender. Portanto, se, reduzindo as suas despesas, chegou a fazer algumas economias, e se, para assegurar a sua conservação, as emprega, por exemplo, num campo, torna-se evidente que esse campo não é outra coisa senão o salário transformado: o terreno, assim adquirido, será propriedade do artista com o mesmo título que a remuneração do seu trabalho. Mas, quem não vê que é precisamente nisso que consiste o direito de propriedade mobiliária e imobiliária? Assim, esta conversão da propriedade particular em propriedade coletiva, tão preconizada pelo socialismo, não teria outro efeito senão tornar a situação dos operários mais precária, retirando-lhes a livre disposição do seu salário e roubando-lhes, por isso mesmo, toda a esperança e toda a possibilidade de engrandecerem o seu patrimônio e melhorarem a sua situação.

5. Mas, e isto parece ainda mais grave, o remédio proposto está em oposição flagrante com a justiça, porque a propriedade particular e pessoal é para o homem, de direito natural. Há, efetivamente, sob este ponto de vista, uma grandíssima diferença entre o homem e os animais destituídos de razão. Estes não se governam a si mesmos; são dirigidos e governados pela natureza, mediante um duplo instinto, que, por um lado, conserva a sua atividade sempre viva e lhes desenvolve as forças; por outro, provoca e circunscreve ao mesmo tempo cada um dos seus movimentos. O primeiro instinto leva-os à con-

servação e à defesa da sua própria vida; o segundo, à propagação da espécie; e este duplo resultado obtêm-no facilmente pelo uso das coisas presentes e postas ao seu alcance. Por outro lado, seriam incapazes de transpor esses limites, porque apenas são movidos pelos sentidos e por cada objeto particular que os sentidos percebem. Muito diferente é a natureza humana. Primeiramente, no homem reside em sua perfeição, toda a virtude da natureza sensitiva, e desde logo lhe pertence, não menos que a esta, gozar dos objetos físicos e corpóreos. Mas a vida sensitiva ainda mesmo possuída em toda a sua plenitude, não só não abraça toda a natureza humana, mas é-lhe muito inferior e própria para lhe obedecer e ser-lhe sujeita. O que em nós se avantaja, o que nos faz homens e nos distingue essencialmente do animal é a razão ou a inteligência, e em virtude desta prerrogativa deve reconhecer-se ao homem não só a faculdade geral de usar das coisas exteriores, mas ainda o direito estável e perpétuo de as possuir, tanto as que se consomem pelo uso, como as que permanecem depois de nos terem servido.

Uso comum dos bens criados e propriedade particular deles

6. Uma consideração mais profunda da natureza humana vai fazer sobressair melhor ainda esta verdade. O homem abrange pela sua inteligência uma infinidade de objetos, e às coisas presentes acrescenta e prende as coisas futuras; além disso, é senhor das suas ações; também sob a direção da lei eterna sob o governo universal da Providência divina, ele é, de algum modo, para si a sua lei e a sua providência. É por isso que tem o direito de escolher as coisas que julgar mais aptas, não só para prover ao presente, mas ainda ao futuro. De onde se segue que deve ter sob o seu domínio não só os produtos da terra, mas ainda a própria terra, que pela sua fecundidade, ele vê estar destinada a ser sua fornecedora no futuro. As necessidades do homem repetem-se perpetuamente: satisfeitas hoje, renascem amanhã com novas exigências. Foi preciso, portanto, para que ele pudesse realizar o seu direito em todo o tempo, que a natureza pusesse à sua disposição um elemento estável e permanente, capaz de lhe fornecer perpetuamente os meios. Ora, esse elemento só podia ser a terra, com os seus recursos sempre fecundos. E não se apele para a providência do Estado, porque o Estado é posterior ao homem, e antes que ele pudesse formar-se, já o homem tinha recebido da natureza o direito de viver e proteger a sua existência. Não se oponha também à legitimidade da propriedade particular o fato de que Deus concedeu a terra a todo o gênero humano para a gozar, porque Deus não a concedeu aos homens para que a dominassem confusamente todos juntos. Tal não é o sentido dessa verdade. Ela significa, unicamente, que Deus não assinalou uma parte a nenhum homem em particular, mas quis deixar a limitação das propriedades à indústria humana e às instituições dos povos. Aliás, posto que dividida em propriedades particulares, a terra não deixa de servir à utilidade comum de todos, atendendo a que ninguém há entre os mortais que não se alimente dos produtos dos campos. Quem não os tem, supre-os pelo trabalho, de maneira que se pode afirmar, com toda a verdade, que o trabalho é o meio universal de prover às necessidades da vida, quer ele se exerça num terreno próprio, quer em alguma arte lucrativa cuja remuneração, apenas, sai dos produtos múltiplos da terra, com os quais ela se comuta. De tudo isto resulta, mais uma vez, que a propriedade particular é plenamente conforme à natureza. A terra, sem dúvida, fornece ao homem com abundância as coisas necessárias para a conservação da sua vida e ainda para o seu aperfeiçoamento, mas não poderia fornecê-las sem a cultura e sem os cuidados do homem. Ora, que faz o homem, consumindo os recursos do seu espírito e as forças do seu corpo em procurar esses bens da natureza? Aplica, por assim dizer, a si mesmo a porção da natureza corpórea que cultiva e deixa nela como que um certo cunho da sua pessoa, a ponto de, com toda a justiça, esse bem ser possuído no futuro como seu, e não será lícito a ninguém violar o seu direito de qualquer forma que seja.

A propriedade sancionada pelas leis humanas e divinas

7. A força destes raciocínios é de uma evidência tal que chegamos a admirar como certos partidários de velhas opiniões podem ainda contradizê-los, concedendo sem dúvida ao homem particular o uso do solo e os frutos dos campos, mas recusando lhe o direito de possuir, na qualidade de proprietário, esse solo em que construiu, a porção da terra que cultivou. Não vêem, pois, que despojam assim esse homem do fruto de seu trabalho; porque, afinal, esse campo preparado com arte pela mão do cultivador, mudou completamente de natureza: era selvagem, ei-lo arroteado: de infecundo, tornou-se fértil; o que tornou melhor, está inerente ao solo e confunde-se de tal forma com ele, que em grande parte seria impossível separá-lo. Suportaria a justiça que um estranho viesse então atribuir-se esta terra banhada pelo suor de quem a cultivou? Da mesma forma que o efeito segue a causa, assim é justo que o fruto do trabalho pertença ao trabalhador.

É, pois, com razão, que a universalidade do gênero humano, sem se deixar mover pelas opiniões contrárias dum pequeno grupo, reconhece, considerando atentamente a natureza, que nas suas leis reside o primeiro fundamento da repartição dos bens e das propriedades particulares; foi com razão que o costume de todos os séculos sancionou uma situação tão conforme à natureza do homem e à vida tranqüila e pacífica das sociedades. Por seu lado, as leis civis, que tiram o seu valor (veja-se santo Tomás, *Sum. Teol.,* I-II, q. 95, a. 4), quando são justas, da lei natural, confirmam esse mesmo direito e protegem-no pela força. Finalmente, a autoridade das leis divinas vem pôr-lhe o seu selo, proibindo, sob pena gravíssima, até mesmo o desejo do que pertence aos outros: «Não desejarás a mulher do teu próximo, nem a sua casa, nem o seu campo, nem o seu boi, nem a sua serva, nem o seu jumento, nem coisa alguma que lhe pertença» (Dt 5,21).

A família e o Estado

8. Entretanto, esses direitos, que são inatos a cada homem considerado isoladamente, apresentam-se mais rigorosos ainda, quando se consideram nas suas relações e na sua conexão com os deveres da vida doméstica. Ninguém põe em dúvida que, na escolha dum gênero de vida, seja lícito cada um seguir o conselho de Jesus Cristo sobre a virgindade, ou contrair um laço conjugal. Nenhuma lei humana poderia apagar de qualquer forma o direito natural e primordial de todo homem ao casamento, nem circunscrever o fim principal para que ele foi estabelecido desde a origem: «Crescei e multiplicai-vos» (Gn 1,28). Eis, pois, a família, isto é, a sociedade doméstica, sociedade muito pequena certamente, mas real e anterior a toda a sociedade civil, à qual, desde logo, será forçosamente necessário atribuir certos direitos e certos deveres absolutamente independentes do Estado. Assim, este direito de propriedade que nós, em nome da natureza, reivindicamos para o indivíduo, é preciso agora transferi-lo para o homem constituído chefe de família. Isto não basta: passando para a sociedade doméstica, este direito adquire aí tanto maior força quanto mais extensão lá recebe a pessoa humana. A natureza não impõe somente ao pai de família o dever sagrado de alimentar e sustentar seus filhos; vai mais longe. Como os filhos refletem a fisionomia de seu pai e são uma espécie de prolongamento da sua pessoa, a natureza inspira-lhe o cuidado do seu futuro e a criação dum patrimônio que os ajude a defender-se, na perigosa jornada da vida, contra todas as surpresas da má fortuna. Mas, esse patrimônio poderá ele criá-lo sem a aquisição e a posse de bens permanentes e produtivos que possa transmitir-lhes por via de herança? Assim como a sociedade civil, a família, conforme atrás dissemos, é uma sociedade propriamente dita, com a sua autoridade e o seu governo paterno, é por isso que sempre indubitavelmente na esfera que lhe determina o seu fim imediato, ela goza, para a escolha e uso de tudo o que exige a sua conservação e o exercício duma justa independência, de direitos pelo menos iguais aos da sociedade civil. Pelo menos iguais, dizemos nós, porque a sociedade doméstica tem sobre a sociedade civil uma prioridade lógica e uma prioridade real, de que participam necessariamente os seus direitos e os seus deveres. E se os indivíduos e as famílias, entrando na sociedade, nela achassem, em vez de apoio, um obstáculo, em vez de proteção, uma diminuição de seus direitos, dentro em pouco a sociedade seria mais para evitar do que para procurar.

Querer, pois, que o poder civil invada arbitrariamente o santuário da família, é um erro grave e funesto. Certamente, se existe em alguma parte uma família que se encontre numa situação desesperada e que faça esforços vãos para sair dela, é justo que, em tais extremos, o poder público venha em seu auxílio, porque cada família é um membro da sociedade. Da mesma forma, se existe um lar doméstico que seja teatro de graves violações dos direitos mútuos, que o poder público intervenha para restituir a cada um os seus direitos. Não é isto usurpar as atribuições dos cidadãos, mas fortalecer os seus direitos, protegê-los e defendê-los como convém. Todavia, a ação daqueles que presidem ao governo público não deve ir mais além; a natureza proíbe-lhes ultrapassar esses limites. A autoridade paterna não podia ser abolida, nem absorvida pelo Estado, porque ela tem uma origem comum com a vida humana. «Os filhos são alguma coisa de seu pai»; são de certa forma uma extensão da sua pessoa, e, para falar com justiça não é imediatamente por si que eles se agregam e se incorporam na sociedade civil, mas por intermédio da sociedade doméstica em que nasceram. Porque os «filhos são naturalmente alguma coisa de seu pai... devem ficar sob a tutela dos pais até que tenham adquirido o livre arbítrio» (santo Tomás, *Sum. Teol.*, II-II, q. 10, a. 12). Assim, substituindo a providência paterna pela providência do Estado, os socialistas vão **contra a justiça natural** e quebram os laços da família.

O comunismo princípio de empobrecimento

9. Mas, além da injustiça do seu sistema, vêem-se bem todas as suas funestas conseqüências, a perturbação em todas as classes da sociedade, uma odiosa e insuportável servidão para todos os cidadãos, porta aberta a todas as invejas, a todos os descontentamentos, a todas as discórdias; o talento e a habilidade privados dos seus estímulos, e, como conseqüência necessária, as riquezas estancadas na sua fonte; enfim em lugar dessa igualdade tão sonhada, a igualdade na nudez, na indigência e na miséria. Por tudo o que nós acabamos de dizer, compreende-se que a teoria socialista da propriedade coletiva deve absolutamente repudiar-se como prejudicial àqueles mesmos a que se quer socorrer, contrária aos direitos naturais dos indivíduos, como desnaturando as funções do Estado e perturbando a tranqüilidade pública. Fique, pois, bem assente que o primeiro fundamento a estabelecer para todos aqueles que querem sinceramente o bem do povo, e a inviolabilidade da propriedade particular. Expliquemos agora onde convém procurar o remédio tão desejado.

A Igreja e a questão social

10. É com toda a confiança que nós abordamos este assunto, e em toda a plenitude do nosso direito; porque a questão de que se trata é de tal natureza, que, não se apelando para a religião e para a Igreja, é impossível encontrar-lhe uma solução eficaz. Ora, como é principalmente a nós que estão confiadas a salvaguarda da religião e a dispensação do que é do domínio da Igreja, calarmonos seria, aos olhos de todos, trair o nosso dever. Certamente uma questão desta gravidade demanda ainda de outros a sua parte de atividade e de esforços: isto é, dos governantes, dos senhores e dos ricos, e dos próprios operários, de cuja sorte se trata. Mas, o que nós afirmamos sem hesitação, é a inanidade da sua ação fora da Igreja. É a Igreja, efetivamente, que haure no Evangelho doutrinas capazes ou de pôr termo ao conflito ou ao menos de o suavizar, expurgando-o de tudo o que ele tenha de severo e áspero; a Igreja, que não se contenta com esclarecer o espírito de seus ensinamentos, mas também se esforça em regular, de acordo com eles a vida e os costumes de cada um; a Igreja, que, por uma multidão de instituições eminentemente benéficas, tende a melhorar a sorte das classes pobres; a Igreja, que quer e deseja ardentemente que todas as classes empreguem em comum os seus conhecimentos e as suas forças para dar à questão operária a melhor solução possível; a Igreja, enfim, que julga que as leis e a autoridade pública devem sem dúvida, com medida e prudência, prestar seu concurso para esta solução.

Não luta, mas concórdia das classes

11. O primeiro princípio a pôr em evidência, é que o homem deve aceitar com paciência a sua condição: é impossível que na sociedade civil todos sejam elevados ao mesmo nível. É, sem duvida, isto o que desejam os **socialistas;** mas contra a natureza todos os esforços são vãos. Foi ela, realmente, que estabeleceu entre os homens diferenças tão multíplices como profundas; diferenças de inteligência, de talento, de habilidade, de saúde, de força;

diferenças necessárias, de onde nasce espontaneamente a desigualdade das condições. Esta desigualdade, por outro lado, reverte em proveito de todos, tanto da sociedade como dos indivíduos; porque a vida social requer um organismo muito variado e funções muito diversas, e o que leva precisamente os homens a partilharem estas funções é, principalmente, a diferença de suas respectivas condições.

Pelo que diz respeito ao trabalho em particular, o homem, mesmo no **estado de inocência,** não era destinado a viver na ociosidade mas, ao que a vontade teria abraçado livremente como exercício agradável, a necessidade lhe acrescentou, depois do pecado, o sentimento da dor e o impôs como uma expiação: «A terra será maldita por tua causa; é pelo trabalho que tirarás com que alimentar-te todos os dias da vida» (Gn 3,17). O mesmo se dá com todas as outras calamidades que caíram sobre o homem: neste mundo estas calamidades não terão fim nem tréguas, porque os funestos frutos do pecado são amargos, acres, acerbos, e acompanham necessariamente o homem até ao derradeiro suspiro. Sim, a dor e o sofrimento são o apanágio da humanidade, e os homens poderão ensaiar tudo, tudo tentar para os banir; mas não o conseguirão nunca, por mais recursos que empreguem e por maiores forças que para isso desenvolvam. Se há quem, atribuindo-se o poder fazê-lo, prometa ao pobre uma vida isenta de sofrimentos e de trabalhos, toda de repouso e de perpétuos gozos, certamente engana o povo e lhe prepara laços, onde se ocultam, para o futuro, calamidades mais terríveis que as do presente. O melhor partido consiste em ver as coisas tais quais são, e, como dissemos, em procurar um remédio que possa aliviar os nossos males. O erro capital na questão presente é crer que as duas classes são inimigas natas uma da outra, como se a natureza tivesse armado os ricos e os pobres para se combaterem mutuamente num duelo obstinado. Isto é uma aberração tal, que é necessário colocar a verdade numa doutrina contrariamente oposta, porque, assim como no corpo humano os membros, apesar da sua diversidade, se adaptam maravilhosamente uns aos outros, de modo que formam um todo exatamente proporcionado e que se poderá chamar simétrico, assim também, na sociedade, as duas classes estão destinadas pela natureza a unirem-se harmoniosamente e a conservarem-se mutuamente em perfeito equilíbrio. Elas tem imperiosa necessidade uma da outra: não pode haver capital sem trabalho, nem trabalho sem capital. A concórdia traz consigo a ordem e a beleza; ao contrário, dum conflito perpétuo só podem resultar confusão e lutas selvagens. Ora, para dirimir este conflito e cortar o mal na sua raiz, as Instituições possuem uma virtude admirável e múltipla.

E, primeiramente, toda a economia das verdades religiosas, de que a Igreja é guarda e intérprete, é de natureza a aproximar e reconciliar os ricos e os pobres, lembrando às duas classes os seus deveres mútuos e, primeiro que todos os outros, os que derivam da justiça.

Obrigações dos operários e dos patrões

12. Entre estes deveres, eis os que dizem respeito ao pobre e ao operário: deve fornecer integral e fielmente todo o trabalho a que se comprometeu por contrato livre e conforme à eqüidade; não deve lesar o seu patrão, nem nos seus bens, nem na sua pessoa; as suas reivindicações devem ser isentas de violências, e nunca revestirem a forma de sedições; deve fugir dos homens perversos que, nos seus discursos artificiosos, lhe sugerem esperanças exageradas e lhe fazem grandes promessas, as quais só conduzem a estéreis pesares e à ruína das fortunas.

Quanto aos ricos e aos patrões, não devem tratar o operário como escravo, mas respeitar nele a dignidade do homem realçada ainda pela do cristão. O trabalho do corpo, pelo testemunho comum da razão e da filosofia cristã, longe de ser um objeto de vergonha, faz honra ao homem, porque lhe fornece um nobre meio de sustentar a sua vida. O que é vergonhoso e desumano é usar dos homens como de vis instrumentos de lucro, e não os estimar senão na proporção do vigor dos seus braços. O cristianismo, além disso, prescreve que se tenham em consideração os interesses espirituais do operário e o bem de sua alma. Aos patrões compete velar para que a isto seja dada plena satisfação, que o operário, não seja entregue à sedução e às solicitações corruptoras, que nada venha enfraquecer o espírito de família nem os hábitos de economia. Proíbe também aos patrões que imponham aos seus subordinados um trabalho superior às suas forças ou em desarmonia com a sua idade ou o seu sexo.

Mas, entre os deveres principais do patrão, é necessário colocar, em primeiro lugar, o de dar a cada um o salário que convém. Certamente, para fixar a justa medida do salário, há numerosos pontos de vista a considerar. Duma maneira geral, recordem-se o rico e o patrão de que explorar a pobreza e a miséria, e especular com a indigência, são coisas igualmente reprovadas pelas leis divinas e humanas; que cometeria um crime de clamar vingança ao céu quem defraudasse a qualquer pessoa no preço dos seus labores: «Eis que o salário, que tendes extorquido por fraude aos vossos operários, clama contra vós; e o seu clamor subiu até os ouvidos do Deus dos exércitos» (Tg 5,4). Enfim os ricos devem precaver-se religiosamente de todo ato violento, toda fraude, toda manobra usurária que seja de natureza e atentar contra a economia do pobre, e isto mais ainda, porque este é menos apto para defender-se, e porque os seus haveres, por serem de mínima importância, revestem um caráter mais sagrado. A obediência a estas leis — perguntamos nós —, não bastaria só, de per si, para fazer cessar todo o antagonismo e suprimir-lhe as causas?

13. Todavia a Igreja, instruída e dirigida por Jesus Cristo, eleva as suas vistas ainda mais alto; propõe um corpo de preceitos mais completos, porque ambiciona estreitar a união das duas classes até as unir uma à outra por laços de verdadeira amizade. Ninguém pode ter verdadeira inteligência da vida mortal, nem estimá-la no seu justo valor, se não se eleva à consideração da outra vida que é imortal. Suprimi esta, e imediatamente toda a forma e toda a verdadeira noção de honestidade desaparecerá; mais ainda: todo o universo se tornará um impenetrável mistério. Quando tivermos abandonado esta vida, então somente começaremos a viver: esta verdade, que a mesma natureza nos ensina, é um dogma cristão sobre o qual se firma, como sobre o seu primeiro fundamento, toda a economia da religião. Não, Deus não nos fez para estas coisas frágeis e transitórias, mas para as coisas celestes e eternas; não nos deu esta terra como nossa morada fixa, mas como lugar de exílio. Que abundeis em riquezas ou outros bens, chamados bens de fortuna, ou que estejais privados deles, isto nada importa à felicidade eterna: o uso que fizerdes deles é o que interessa. Pela sua superabundante redenção, Jesus Cristo não suprimiu as aflições que formam quase toda a trama da vida mortal; fez delas estímulos de virtude e fontes de mérito, de sorte que não há homem que possa pretender as recompensas eternas se não caminhar sobre as pegadas ensangüentadas de Jesus Cristo: «Se sofremos com ele, com ele reinaremos» (2Tm 2,12). Por outra parte, escolhendo ele mesmo a cruz e os tormentos, minorou-lhes singularmente o peso e a amargura e, a fim de nos tornar ainda mais suportável o sofrimento, ao exemplo acrescentou a sua graça e a promessa duma recompensa sem fim: «Porque o momento tão curto e tão ligeiro das aflições, que sofremos nesta vida, produz em nós o peso eterno duma glória soberana incomparável» (2Cor 4,17).

Assim, os afortunados deste mundo são advertidos de que as riquezas não os isentam da dor; que elas não são de nenhuma utilidade para a vida eterna, mas antes um obstáculo (Mt 19,23-24); que eles devem tremer diante das ameaças severas que Jesus Cristo profere contra os ricos (Lc 6,24-25); que, enfim, virá um dia em que deverão prestar a Deus, seu juiz, rigorosíssimas contas do uso que tiverem feito de sua fortuna.

Posse e uso das riquezas

14. Sobre o uso das riquezas, já a pura filosofia pode delinear alguns ensinamentos de suma excelência e extrema importância; mas só a Igreja no-los pode dar na sua perfeição, e fazê-los descer do conhecimento à prática. O fundamento dessa doutrina está na distinção entre a justa posse das riquezas e o seu legítimo uso.

A propriedade particular, já o dissemos acima, é de direito natural para o homem: o exercício deste direito é coisa não so permitida, sobretudo a quem vive em sociedade, mas ainda absolutamente necessária (santo Tomás, *Sum. Teol.*, II-II, q. 66, a. 2). Agora, se se pergunta em que é necessário fazer consistir o uso dos bens, a Igreja responderá sem hesitação: «A esse respeito o homem não deve ter os bens exteriores como particulares, mas sim comuns, de tal sorte que facilmente dê parte deles aos outros nas suas necessidades. E por isso que o Apóstolo disse: Ordena aos ricos do século... dar facilmente, comunicar as suas riquezas» (santo Tomás, *Sum. Teol.*, q. 65, a. 2). Ninguém certamente é obrigado a aliviar o próximo privando-se do seu necessário ou de sua família; nem mesmo a nada suprimir de que as conveniências ou decência impõem à sua pessoa: «Ninguém, com efeito, deve viver contrariamente às conveniências» (santo Tomás, *Sum. Teol.*, II-II, q. 32, a. 6). Mas, desde que tenha suficientemente satisfeito à necessidade e ao decoro, é um dever dar o supérfluo para os pobres: «Do supérfluo dai esmolas» (Lc 11,41). É um dever, não de estrita justiça, exceto nos casos de extrema necessidade, mas de caridade cristã, um dever, por conseqüência, cujo cumprimento não se pode conseguir pelas vias da justiça humana. Mas, acima dos juízos do homem e das leis, há a lei e o juízo de Jesus Cristo nosso Deus, que nos persuade de todas as maneiras a dar habitualmente esmola: «É mais feliz», diz ele, «aquele que dá, do que aquele que recebe» (At 20,35), e o Senhor terá como dada ou recusada a si mesmo a esmola que se tenha dado ou recusado aos pobres: «Todas as vezes que tenhais dado esmola a um de meus irmãos é a mim que a haveis dado» (Mt 25,40). Eis, aliás, em algumas palavras, o resumo desta doutrina: Quem quer que tenha recebido da divina bondade maior abundância, quer de bens externos e do corpo, quer de bens do espírito, recebeu-os com o fim de os fazer servir ao seu próprio aperfeiçoamento e, ao mesmo tempo, como ministro da Providência, ao alívio dos outros. «É por isso, que quem tiver o dom da palavra tome cuidado em não se calar; quem possuir superabundância de bens, não deixe a misericórdia entumecer-se no fundo do seu coração; quem tiver a arte de governar, aplique-se com cuidado a partilhar dela com seu irmão o exercício e os frutos» (são Gregório Magno, *in Evang.* Hom. IX, n. 7).

Dignidade do trabalho

15. Quanto aos deserdados da sorte, aprendam da Igreja que, segundo o juízo do próprio Deus, a pobreza não é um opróbrio e que não se deve corar por ter de ganhar o pão com o suor do seu rosto. É o que Jesus Cristo Nosso Senhor confirmou com seu exemplo. Ele, que «embora sendo rico, se tornou pobre» (2Cor 8,9) para a salvação dos homens; que, embora sendo Filho de Deus e Deus ele mesmo, quis passar aos olhos do mundo por filho de um artífice, chegando até a consumir uma grande parte da sua vida em trabalho mercenário: «Não é ele o carpinteiro, filho de Maria?» (Mc 6,3). Quem tiver em sua frente o modelo divino compreenderá mais facilmente o que nós vamos dizer: que a verdadeira dignidade do homem e a sua excelência reside nos seus costumes, isto é, na sua virtude; que a virtude é o patrimônio comum dos mortais, ao alcance de todos, dos pequenos e dos grandes, dos pobres e dos ricos; só a virtude e os méritos, seja qual for a pessoa em quem se encontrem, obterão a recompensa da eterna felicidade. Mais ainda: é para as classes desfavorecidas que o coração de Deus parece inclinar-se mais. Jesus Cristo chama aos pobres bem-aventurados (Mt 5,3): convida com amor a virem a ele, a fim de consolar a todos os que sofrem e que choram (Mt 11,18); abraça com caridade mais terna os pequenos e os oprimidos. Estas doutrinas foram, sem dúvida alguma, feitas para humilhar a alma altiva do rico e torná-lo mais condescendente, para reanimar a coragem daqueles que sofrem e inspirar-lhes resignação. Com elas se tornaria menor o abismo causado pelo orgulho, e se conseguiria sem dificuldade que as duas classes se dessem as mãos e as vontades se unissem na mesma amizade.

Comunhão de bens de natureza e de graça

16. Mas é ainda muito pouco a simples amizade: se se obedecer aos preceitos do cristianismo, será no amor fraterno que a união há de se realizar. De uma parte e de outra, poder-se-á saber e compreender que os homens são todos absolutamente nascidos de Deus, seu Pai comum; que Deus é o seu único e comum fim, que ele só é capaz de comunicar aos anjos e aos homens uma felicidade perfeita e absoluta; que todos eles foram igualmente resgatados por Jesus Cristo e restabelecidos por ele na sua dignidade de filhos de Deus, e que assim um verdadeiro laço de fraternidade os une, quer entre si, quer a Cristo, seu Senhor, que é «o primogênito de muitos irmãos» (Rm

8,29). Eles saberão, enfim, que todos os bens da natureza, todos os tesouros da graça, pertencem em comum e indistintamente a todo o gênero humano e que só os indignos é que são deserdados dos bens celestes: «Se vós sois filhos, sois também herdeiros, herdeiros de Deus, co-herdeiros de Jesus Cristo» (Rm 8,17).

Tal e a economia dos direitos e dos deveres que ensina a filosofia cristã. Não se veria em breve tempo estabelecer-se a pacificação, se estes ensinamentos pudessem vir a prevalecer nas sociedades?

Exemplo e magistério da Igreja

17. Entretanto, a Igreja não se contenta em indicar o caminho que leva à salvação; ela conduz a esta e aplica por sua própria mão, o conveniente remédio para o mal. Ela dedica-se totalmente a instruir e a educar os homens segundo os seus princípios a sua doutrina, cujas águas vivificantes ela tem o cuidado de espalhar, tão longe e tão largamente quanto lhe é possível, pelo ministério dos bispos e do clero. Depois, esforça-se por penetrar nas almas e por obter das vontades que se deixem conduzir e governar pela regra dos preceitos divinos. Este ponto é capital e de grandíssima importância porque encerra como que o resumo de todos os interesses que estão em litígio, e aqui a ação da Igreja é soberana. Os instrumentos de que ela dispõe para tocar as almas, recebeu-os, para este fim, de Jesus Cristo, e trazem em si a eficácia duma virtude divina. São os únicos aptos para penetrar até às profundezas do coração humano, que são capazes de levar o homem a obedecer às imposições do dever, a dominar as suas paixões, a amar a Deus e ao próximo com uma caridade sem limites, a esmagar corajosamente todos os obstáculos que dificultam o seu caminho na estrada da virtude.

Neste ponto, basta lembrar brevemente os exemplos da antiguidade. As coisas e fatos que vamos lembrar estão isentos de controvérsia. Assim, não é duvidoso que a sociedade civil foi essencialmente renovada pelas instituições cristãs, que esta renovação teve por efeito elevar o nível do gênero humano, ou, para melhor dizer, chamá-lo da morte à vida, e elevá-lo a um alto grau de perfeição, como se não houve semelhante nem antes nem depois, e não se verá jamais em todo o decurso dos séculos. Que, enfim, destes benefícios foi Jesus Cristo o princípio e deve ser o seu fim: porque, assim como tudo partiu dele, assim também tudo lhe deve ser referido. Quando, pois, o Evangelho raiou no mundo, quando os povos tiveram conhecimento do grande mistério da encarnação do Verbo e da redenção dos homens, a vida de Jesus Cristo, Deus e homem, invadiu as sociedades e impregnou-as inteiramente com a sua fé, com as suas máximas e com as suas leis. É por isso que, se a sociedade humana deve ser saneada, não o será senão pelo regresso à vida e às instituições do cristianismo. A quem quer regenerar uma sociedade qualquer em decadência, se prescreve com razão que a reconduza às suas origens (também Maquiavel, *Discursi III,* 1, afirma este princípio). Porque a perfeição de toda sociedade consiste em prosseguir e atingir o fim para o qual foi fundada, de modo que todos os movimentos e todos os atos da vida social nasçam do mesmo princípio de onde nasceu a sociedade. Por isso, afastar-se do fim é caminhar para a morte, e voltar a ele é readquirir a vida. E o que nós dizemos de todo o corpo social aplica-se igualmente a essa classe de cidadãos que vivem do seu trabalho e que formam a esmagadora maioria.

Nem se pense que a Igreja se deixa absorver de tal modo pelo cuidado das almas, que deixa de lado o que se relaciona com a vida terrestre e mortal. Pelo que em particular diz respeito à classe dos trabalhadores, ela faz todos os esforços para os arrancar à miséria e procurar-lhes uma sorte melhor. E, certamente, não é um fraco apoio que ela dá a esta obra só pelo fato de trabalhar, por palavras e atos, para reconduzir os homens à virtude. Os costumes cristãos desde que entram em ação, exercem naturalmente sobre a prosperidade temporal a sua parte de benéfica influência; porque eles atraem o favor de Deus, princípio e fonte de todo bem; reduzem o desejo excessivo das riquezas e a sede dos prazeres dois flagelos que muitas vezes lançam a amargura e o desgosto mesmo em meio à opulência (1Tm 6,10); contentam-se enfim com uma vida e alimentação frugal, e suprem pela economia a carência do rendimento, longe desses vícios que consomem não só as pequenas, mas as grandes fortunas, e dissipam os maiores patrimônios.

A Igreja e a caridade durante os séculos

18. A Igreja, além disso, provê também diretamente à felicidade das classes desfavorecidas, pela fundação e sustentação de instituições que ela julga próprias para aliviar a sua miséria. E, mesmo neste gênero de benefícios, ela tem sobressaído de tal modo, que seus próprios inimigos lhe teceram elogio. Assim, entre os primeiros cristãos, era tal a virtude da caridade mútua, que não raro se viam os mais ricos despojarem-se de seu patrimônio em favor dos pobres. Por isso, a indigência não era conhecida entre eles (At 4,34). Os apóstolos tinham confiado aos diáconos, cuja ordem fora especialmente instituída para esse fim, a distribuição cotidiana das esmolas, e o próprio são Paulo apesar de absorvido por uma solicitude que abraçava todas as Igrejas, não hesitava em empreender penosas viagens para ir pessoalmente levar socorros aos cristãos desfavorecidos. Socorros do mesmo gênero eram espontaneamente oferecidos pelos fiéis em cada uma das suas assembléias: o que Tertuliano chama os «depósitos da piedade», porque eram empregados «em sustentar e inumar as pessoas indigentes, os órfãos pobres de ambos os sexos, os domésticos velhos, as vítimas de naufrágio» (Apol., II, 39).

Eis como pouco a pouco se formou esse patrimônio, que a Igreja sempre guardou com religioso cuidado como um bem próprio da família dos pobres. Ela chegou até a garantir socorros aos infelizes, poupando-lhes a humilhação de estender a mão; porque esta mãe comum dos ricos e dos pobres, aproveitando maravilhosamente rasgos de caridade que ela havia provocado por toda parte, fundou sociedades religiosas e uma multidão de outras instituições úteis, que, pouco tempo depois, não deviam deixar sem alívio nenhum tipo de miséria.

Há hoje, sem dúvida, certo número de homens que, imitando os pagãos de outrora, chegam a fazer, mesmo dessa caridade tão maravilhosa, uma arma para atacar a Igreja; e viu-se uma beneficência estabelecida pelas leis civis substituir-se à caridade cristã; mas esta caridade, que se dedica toda e sem pensamento reservado à utilidade do próximo, não pode ser suprida por nenhuma invenção humana. Só a Igreja possui essa virtude, porque não se pode haurir senão no Sagrado Coração de Jesus Cristo, e é errar longe de Jesus Cristo estar afastado da sua Igreja.

O concurso do Estado

19. Contudo, não há dúvida de que, para conseguir o objetivo desejado, não é demais recorrer aos meios humanos. Assim, todos aqueles a quem a questão diz respeito, devem visar ao mesmo fim e trabalhar harmoniosamente cada um em sua área. Nisto se revela como uma imagem da Providência governando o mundo: porque nós vemos de ordinário que os fatos e os acontecimentos que dependem de causas diferentes são a resultante da sua ação comum.

Ora, que parte de ação e de remédio temos nós o direito de esperar do Estado? Antes de tudo, devemos dizer que por Estado entendemos aqui, não um governo estabelecido num determinado povo em particular, mas todo governo que corresponde aos preceitos da razão natural e aos ensinamentos divinos, ensinamentos que nós mesmo expusemos, especialmente na nossa carta encíclica sobre a constituição cristã das sociedades (*Immortale Dei*).

Origem da prosperidade nacional

20. O que se pede aos governantes é um curso de ordem geral, que consiste em toda a economia das leis e das instituições; queremos dizer que devem fazer de modo que da mesma organização e do governo da sociedade brote espontaneamente e sem esforço a prosperidade, tanto pública como particular. Tal é com efeito, o ofício da prudência civil e o dever próprio de todos aqueles que governam. Ora o que torna uma nação próspera, são os costumes puros, as famílias fundadas sobre bases de ordem e de moralidade, a prática da religião e o respeito da justiça, uma imposição moderada e uma distribuição eqüitativa dos encargos públicos, o progresso da indústria e do comércio, uma agricultura florescente e, se houver outros elementos do mesmo gênero: todas as coisas que se não podem aperfeiçoar, sem fazer subir outro tanto a vida e a felicidade dos cidadãos. Assim, portanto, como, por todos esses meios, o Estado pode tornar-se útil às outras classes, assim também pode melhorar muitíssimo a sorte da classe operária, e isto em todo o rigor do seu direito, e sem ter a temer a censura de ingerência; porque, em virtude mesmo do seu ofício, o Estado deve servir o interesse comum. E é evidente que, quanto mais se multiplicarem as vantagens resultantes dessa ação de ordem geral, tanto menos necessidade haverá de recorrer a outros expedientes para melhorar a condição dos trabalhadores.

Mas há outra consideração que atinge mais profundamente ainda o nosso assunto. A razão formal de toda a sociedade é una e comum a todos os seus membros, grandes e pequenos. Os pobres, com o mesmo título que os ricos são, por direito natural, cidadãos. Isto é, pertencem ao número das partes vivas de que se compõe, através das famílias, o corpo inteiro da nação, para não dizer que em todas as cidades constituem o grande número. Como, pois, seria inconcebível prover a uma classe de cidadãos e negligenciar outra, torna-se evidente que a autoridade pública deve também tomar as medidas necessárias para zelar pela salvação e os interesses da classe operária. Se ela faltar a isto, viola a estrita justiça que quer que a cada um seja dado o que lhe é devido. A esse respeito santo Tomás diz muito sabiamente: «Assim como a parte e o todo são em certo modo uma mesma coisa, assim o que pertence ao todo, pertence de alguma maneira a cada parte» (santo Tomás, *Sum. Teol.*, II-II, q. 61 a. 1 ad 2). É por isso que entre os graves e numerosos deveres dos governantes que querem prover, como convém, ao público, o principal dever, que domina todos os outros, consiste em cuidar igualmente de todas as classes de cidadãos, observando rigorosamente as leis da justiça, chamada **distributiva**.

Mas, ainda que todos os cidadãos, sem exceção, devam contribuir para a massa dos bens comuns, os quais, aliás por um giro natural, se repartem de novo entre os indivíduos, contudo, as respectivas constituições não podem ser nem as mesmas, nem de igual medida. Quaisquer sejam as vicissitudes pelas quais as formas do governo tenham que passar, haverá sempre entre os cidadãos essas desigualdades de condições, sem as quais uma sociedade não se pode conceber nem existir. Sem dúvida são necessários homens que governem, que façam leis, que administrem justiça que, enfim, por seus conselhos ou através da autoridade, administrem tanto os negócios da paz como da guerra. Que estes homens devem ter a proeminência em toda a sociedade e ocupar nela o primeiro lugar, ninguém o pode duvidar, pois eles trabalham diretamente para o bem comum e de uma maneira tão excelente. Os homens que, pelo contrário, se aplicam às coisas da indústria, não podem concorrer para este bem comum nem na mesma medida, nem pelos mesmos caminhos; mas, entretanto, também eles, ainda que de maneira menos direta, servem muitíssimo os interesses da sociedade. Sem dúvida alguma, o bem comum, cuja aquisição deve ter por efeito aperfeiçoar os homens, é principalmente um bem moral.

Mas numa sociedade regularmente constituída deve encontrar-se ainda uma certa abundância de bens exteriores «cujo uso é reclamado para exercício da virtude» (santo Tomás, *De regimine princ.* I, 15). Ora, a fonte fecunda e necessária de todos estes bens é principalmente o trabalho do operário, o trabalho dos campos ou da oficina. Mais ainda: nesta ordem de coisas, o trabalho tem uma tal fecundidade e tal eficácia, que se pode afirmar, sem receio de engano, que ele é a fonte única de onde procede a riqueza das nações. A eqüidade manda, pois, que o Estado se preocupe com os trabalhadores, e proceda de modo que, de todos os bens que eles proporcionam à sociedade, lhe seja dada uma parte razoável, como habitação e vestuário, e que possam viver à custa de menos trabalho e privações (veja-se o n. 12 desta encíclica: posse e uso das riquezas). De onde resulta que o Estado deve favorecer tudo o que, direta ou indiretamente possa contribuir para melhorar-lhes a sorte. Esta solicitude, longe de prejudicar alguém, tornar-se-á, ao contrário, em proveito de todos porque interessa soberanamente à nação que homens, que são os produtores de bens tão indispensáveis, não se encontrem continuamente em luta com os horrores da miséria.

O governo é para os governados e não vice-versa

21. Dissemos que não é justo que o indivíduo ou a família sejam absorvidos pelo Estado, mas é justo, pelo contrário, que tanto aquele como esta tenham a faculdade de proceder com liberdade, contanto que não atentem contra o bem geral e não prejudiquem ninguém. Entretanto, cabe aos governantes proteger a comunidade e as suas partes: a comunidade, porque a natureza confiou a sua conservação ao poder soberano, de modo que a salvação pública não é somente aqui a lei suprema, mas a causa mesma e a razão de ser do principado; as partes, porque, de direito natural, o governo não deve visar só os interesses daqueles que têm o poder nas mãos, mas ainda o bem dos que lhe estão submetidos. Tal é o ensino da filosofia, e também da fé cristã. Por outro lado, a autoridade vem de Deus e é uma participação da sua autoridade suprema; por isso, os que são os depositários dela devem exercê-la à imitação de Deus, cuja paternal solicitude se estende não só a cada uma das criaturas em particular mas a todo o seu conjunto. Se, pois, os interesses gerais, ou o interesse de uma classe em particular, se encontram lesados ou simplesmente ameaçados, e se não for possível remediar ou prevenir isso de outro modo, é indispensável recorrer à autoridade pública.

Obrigações e limites da intervenção do Estado

22. Ora, importa à salvação comum e particular que a ordem e a paz reinem por toda parte; que toda a economia da vida doméstica seja regulada segundo os mandamentos de Deus e os princípios da lei natural; que a religião seja honrada e observada; que se vejam florescer os costumes públicos e particulares; que a justiça seja religiosamente graduada, e que nunca uma classe possa oprimir impunemente a outra; que cresçam gerações fortes, capazes de ser o sustentáculo, e, se necessário for, o baluarte da Pátria. É por isso que os operários, abandonando o trabalho ou suspendendo-o por causa das greves, ameaçam a tranqüilidade pública; que os laços naturais da família afrouxam entre os trabalhadores; que se calca aos pés a religião dos operários, não lhes facilitando o cumprimento dos seus deveres para com Deus; que a promiscuidade dos sexos e outras excitações ao vício constituem nas oficinas um perigo para a moralidade; que os patrões esmagam os trabalhadores sob o peso de ônus iníquos, ou desonram neles a pessoa humana por condições indignas e degradantes; que atentam contra a sua saúde por um trabalho excessivo e desproporcionado com a sua idade e sexo: em todos estes casos é absolutamente necessário aplicar com certo limite a força e autoridade das leis. Estes limites serão determinados pelo mesmo fim que reclama o socorro das leis, isto é, que eles não devem avançar nem empreender nada além do que for necessário para reprimir os abusos e afastar os perigos.

Os direitos, que lhes são devidos, devem ser religiosamente respeitados e o Estado deve assegurá-los a todos os cidadãos, prevenindo ou punindo a sua violação. Todavia, quanto à proteção dos direitos particulares, deve preocupar-se, de maneira especial, dos fracos e dos indigentes. A classe rica faz das suas riquezas uma espécie de baluarte e tem menos necessidade da tutela pública. A classe pobre, ao contrário, sem riquezas que a proteja contra as injustiças, conta principalmente com a proteção do Estado. Que o Estado se faça pois, sob um particularíssimo título, a providência dos trabalhadores, que em geral pertencem à classe pobre (cf. n. 17ss).

O Estado deve proteger a propriedade particular

23. Mas, é conveniente descer expressamente a alguns casos particulares. É dever primordial dos governos assegurar a propriedade particular por meio de leis sábias. Hoje especialmente, no meio de tamanho ardor de cobiças desenfreadas, é preciso que o povo se conserve no seu dever; porque se a justiça lhe concede o direito de empregar os meios de melhorar a sua sorte, nem a justiça nem o bem público consentem em que danifique alguém na sua fazenda nem que se invadam os direitos alheios sob pretexto de não sei que igualdade. Por certo que a maior parte dos operários quereriam melhorar de condição por meios honestos, sem prejudicar a ninguém; todavia, não poucos há que, embebidos de falsas teorias e desejosos de novidade, procuram a todo custo excitar e impelir os outros à violência. Intervenha, portanto, a autoridade do Estado, e, reprimindo os agitadores, preserve os bons operários do perigo da sedução e os legítimos patrões de serem despojados do que é seu.

Impeça as greves

24. O trabalho muito prolongado e pesado e uma retribuição mesquinha, poucas vezes, dão aos operários ocasião de greves. É preciso que o Estado cobre esta desordem grave e freqüente, porque estas greves causam dano não só aos patrões e aos mesmos operários, mas também ao comércio e aos interesses comuns; e em razão das violências e tumultos, que em geral favorecem, põem muitas vezes em risco a tranqüilidade pública. O remédio portanto, nesta parte mais eficaz e salutar, é prevenir o mal com a autoridade das leis, e impedir a explosão, removendo a tempo as causas das quais se prevê que possam nascer os conflitos entre operários e patrões.

Proteja os bens da alma

25. Muitas outras coisas deve igualmente o Estado proteger ao operário, e em primeiro lugar os bens da alma. A vida temporal, ainda que boa e desejável, não é o fim para a qual fomos criados; mas é o caminho e o meio para aperfeiçoar, com o conhecimento da verdade e com a prática do bem, a vida do espírito. O espírito é o que tem impressa em si a semelhança divina, e no qual reside aquela dignidade de poder pela qual foi dado ao homem o direito de dominar as criaturas inferiores e de fazer servir à sua utilidade toda a terra e todo o mar: «Enchei a terra e submetei-a, dominai sobre os peixes do mar e sobre as aves do céu e sobre todos os animais que se movem sobre a terra» (Gn 1,28). Nisto todos os homens são iguais, e não há diferença alguma entre ricos e pobres, patrões e criados, reis e súditos, «porque é o mesmo o Senhor de todos» (Rm 10,12). A ninguém é lícito violar impunemente a dignidade do homem, do qual Deus mesmo dispõe com grande reverência, nem colocar-lhe impedimentos, para que ele atinja o aperfeiçoamento ordenado a conquistar a vida eterna; pois, nem ainda por eleição livre, o homem pode renunciar a ser tratado segundo a sua natureza e aceitar a escravidão do espírito; porque não se trata de direitos cujo exercício seja livre, mas de deveres para com Deus que são absolutamente invioláveis.

26. Daqui vem, como conseqüência, a necessidade do repouso festivo. Isto, porém, não quer dizer que se deve estar em ócio por mais largo espaço de tempo, e muito menos significa uma inação total, como muitos desejam, e que é fonte de vícios e ocasião de dissipação; mas um repouso consagrado à religião. Unido à religião, o repouso tira o homem dos trabalhos e das ocupações da vida ordinária para o chamar ao pensamento dos bens celestes e ao culto devido à Majestade divina. Eis aqui a principal natureza e fim do repouso festivo que Deus, com lei especial, prescreveu ao homem no Antigo Testamento dizendo-lhe: «Recorda-te de santificar o sábado» (Ex 20,8); e que ensinou com o seu exemplo, quando no sétimo dia, depois de criado o homem, repousou: «Repousou no sétimo dia de todas as obras que tinha feito» (Gn 2,2).

Proteção do trabalho dos operários, das mulheres e das crianças

27. No que diz respeito aos bens naturais e exteriores, antes de tudo é um dever da autoridade pública subtrair o pobre operário à desumanidade de ávidos especuladores, que abusam, sem nenhuma discrição, das pessoas como das coisas. Não é justo nem humano exigir do homem tanto trabalho a ponto de fazer, pelo excesso de fadiga, embrutecer o espírito e enfraquecer o corpo. A atividade do homem, limitada como a sua natureza, tem limites que não se podem ultrapassar. O exercício e o uso aperfeiçoam-na, mas é preciso que, de quando em quando, se suspenda para dar lugar ao repouso. Não deve, portanto, o trabalho prolongar-se por mais tempo do que as forças permitem. Assim, o número de horas de trabalho diário não deve exceder à força dos trabalhadores, e a quantidade do repouso deve ser proporcionada à qualidade do trabalho, às circunstâncias do tempo e do lugar, à constituição e saúde dos operários. O trabalho, por exemplo, de extrair pedra, ferro, chumbo e outros materiais ocultos debaixo da terra, sendo mais pesado e nocivo à saúde, deve ser compensado com uma duração mais curta. Deve-se também atender às estações, porque não poucas vezes um trabalho que facilmente se suportaria numa estação, é de fato insuportável em outra, ou somente se vence com dificuldade.

28. Enfim, o que um homem robusto e no vígor de sua idade pode fazer, não será justo exigi-lo de uma mulher ou de uma criança. Especialmente a infância — e isto deve ser estritamente observado —, não deve entrar na oficina senão quando a sua idade tenha suficientemente desenvolvido nela as forças físicas, intelectuais e morais: do contrário, como uma planta ainda tenra, irá murchar com um trabalho muito precoce, e fica privada da sua educação. Trabalhos há também que se não adaptam tanto à mulher, a qual a natureza destina de preferência aos arranjos domésticos que, por outro lado, salvaguardam admiravelmente a honestidade do sexo, e correspondem melhor, pela sua natureza, ao que pede a boa educação dos filhos e a prosperidade da família. Em geral, a duração do descanso terá de medir-se pelo dispêndio das forças que ele deve restituir. O direito ao descanso de cada dia assim como à cessação do trabalho no dia do Senhor, deve ser a condição expressa ou tácita de todo contrato feito entre patrões e operários. Onde esta condição não entrar, o contrato não será justo, pois ninguém pode exigir ou prometer a violação dos deveres do homem para com Deus e para consigo mesmo.

O quantitativo do salário dos operários

29. Passemos agora a outro ponto da questão e de não menor importância que, para evitar os extremos, exige uma definição precisa. Referimo-nos à fixação do salário. Uma vez livremente aceito o salário por uma e outra parte, assim se raciocina, o patrão cumpre todos os seus compromissos desde que o pague e não é obrigado a mais nada. Em tal hipótese, a justiça só seria lesada, se ele se recusasse a saldar a dívida ou o operário a concluir todo o seu trabalho, e a satisfazer as suas condições; e neste caso, com exclusão de qualquer outro, é que o poder público teria que intervir para fazer valer o direito de qualquer um deles.

Semelhante raciocínio não encontrará um juiz equitativo que consinta em abraçá-lo sem reserva, pois não abrange todos os lados da questão e omite um, muito importante. Trabalhar é exercer a atividade com o fim de procurar o que requerem as diversas necessidades do homem, mas principalmente o sustento da própria vida. «Comerás o teu pão com o suor do teu rosto» (Gn 3,19). Eis a razão por que o trabalho recebeu da natureza como um duplo cunho: é **pessoal,** porque a força ativa é inerente à pessoa, e porque é propriedade daquele que a exerce e a recebeu para a sua utilidade; e é **necessário**, porque o homem precisa da sua existência, e porque a deve conservar para obedecer às ordens irrefutáveis da natureza. Ora, se não se encarar o trabalho senão pelo seu lado pessoal, não há dúvida de que o operário pode conforme sua vontade restringir a taxa do salário. A mesma vontade que dá o trabalho, pode contentar-se com uma pequena remuneração ou mesmo não exigir nenhuma. Mas já é outra coisa, se ao caráter de personalidade se juntar o de necessidade, que o pensamento pode abstrair, mas que na realidade não se pode separar. Efetivamente, conservar a existência é um dever imposto a todos os homens e ao qual se não podem subtrair sem crime. Deste dever nasce necessariamente o direito de procurar as coisas necessárias à subsistência, e que o pobre não as procure senão mediante o salário do seu trabalho.

Façam, pois, o patrão e o operário todas as convenções que lhes aprouver, cheguem inclusive a acordar na cifra do salário: acima da sua livre vontade está uma lei de justiça natural, mais elevada e mais antiga, a saber, que o salário não deve ser insuficiente para assegurar a subsistência do operário sóbrio e honrado. Mas se, constrangido pela necessidade ou forçado pelo receio de um mal maior, aceita condições duras que por outro lado não lhe seria permitido recusar, porque lhe são impostas pelo patrão ou por quem faz oferta do trabalho, isto é então sofrer uma violência contra a qual a justiça protesta.

Mas, sendo de temer que nestes casos e em outros análogos, como no que diz respeito às horas diárias de trabalho e à saúde dos operários, a intervenção dos poderes públicos seja importuna, sobretudo por causa da variedade das circunstâncias, dos tempos e dos lugares, será preferível que a solução seja confiada às corporações ou sindicatos, de que falaremos mais adiante, ou que se recorra a outros meios de defender os interesses dos operários, mesmo com o auxílio e apoio do Estado, se a questão o reclamar (cf. n. 29 e ss).

A economia como meio de conciliação das classes

30. O operário que receber um salário suficiente para satisfazer com desafogo às suas necessidades e às da sua família, se for avisado, seguirá o conselho que parece dar-lhe a própria natureza: aplicar-se-á a ser parcimonioso e agirá de forma que, com prudentes economias, vá juntando um pequeno pecúlio, que lhe permita chegar um dia a adquirir um modesto patrimônio. Já vimos que a presente questão não podia receber solução verdadeiramente eficaz, se não se começasse por estabelecer como princípio fundamental a inviolabilidade da propriedade particular. Importa, pois, que as leis favoreçam o espírito de propriedade, o reanimem e desenvolvam, tanto quanto possível, entre as massas populares.

Uma vez obtido este resultado, seria ele a fonte dos mais preciosos benefícios, e em primeiro lugar de uma repartição dos bens certamente mais eqüitativa. A violência das revoluções políticas dividiu o corpo social em duas classes e cavou entre elas um imenso abismo. De um lado a onipotência na opulência: uma facção que, senhora absoluta da indústria e do comércio, torce o curso das riquezas e faz correr para o seu lado todos os mananciais; facção que aliás tem na sua mão mais de um motor da administração pública. Do outro, a fraqueza na indigência: uma multidão com a alma dilacerada, sempre pronta para a desordem. Estimule-se a industriosa atividade do povo com a perspectiva da sua participação na propriedade do solo, e ver-se-á nivelar pouco a pouco o abismo que separa a opulência da miséria, e operar-se a aproximação das duas classes. Demais, a terra produzirá tudo em maior abundância, pois o homem é assim feito: o pensamento de que trabalha em terreno que é seu redobra o seu ardor e a sua aplicação. Chega a pôr todo o seu amor numa terra que ele mesmo cultivou, que lhe promete a si e aos seus não só o estritamente necessário, mas ainda uma certa abastança. Não há quem não descubra sem esforços os efeitos desta duplicação da atividade sobre a fecundidade da terra e sobre a riqueza das nações. A terceira utilidade será a suspensão do movimento de emigração: ninguém, com efeito, quereria trocar por uma região estrangeira a sua pátria e a sua terra natal, se nesta encontrasse os meios de levar uma vida mais tolerável.

Mas uma condição indispensável para que todas estas vantagens se convertam em realidades, é que a propriedade particular não seja esgotada por um excesso de encargos e de impostos. Não é das leis humanas, mas da natureza, que emana o direito da propriedade individual; a autoridade pública não o pode pois, abolir; o que ela pode é regular-lhe o uso e conciliá-lo com o bem comum. É por isso que ela age contra a justiça e contra a humanidade quando, sob o nome de impostos, sobrecarrega desmedidamente os bens dos particulares.

Benefício das corporações

31. Em último lugar, diremos que os próprios patrões e operários podem singularmente auxiliar a solução, por meio de todas as obras próprias a aliviar eficazmente a indigência e a operar uma aproximação entre as duas classes. Deste número são as associações de socorros mútuos; as diversas instituições, devidas à iniciativa particular, que têm por fim socorrer os operários, bem como as suas viúvas e órfãos, em caso de morte, de acidentes ou de enfermidades; os patronatos que exercem uma proteção benéfica para com as crianças dos dois sexos, os adolescentes e os homens feitos. Mas o primeiro lugar pertence às corporações operárias, que abrangem quase todas as outras. Os nossos antepassados experimentaram por muito tempo a benéfica influência destas associações. Ao mesmo tempo que os artistas encontravam nelas inapreciáveis vantagens, as artes receberam delas novo brilho e nova vida, como o proclama grande quantidade de monumentos. Sendo hoje mais cultas as gerações, mais polidos os costumes, mais numerosas as exigências da vida cotidiana, é fora de dúvida que se não podia deixar de adaptar as associações a estas novas condições. Assim, com prazer vemos nós irem-se formando por toda parte sociedades deste gênero, quer compostas só de operários, quer mistas, reunindo ao mesmo tempo operários e patrões: é para desejar que aumentem a sua ação. Conquanto nos tenhamos ocupado delas mais de uma vez (cf. a Encíclica *Libertas*), queremos expor aqui a sua oportunidade e o seu direito de existência e indicar como devem organizar-se e qual deve ser o seu programa de ação.

As associações particulares e o Estado

32. A experiência que o homem adquire todos os dias da exigüidade das suas forças, obriga-o e impele-o a agregar-se a uma cooperação estranha.

É na Sagrada Escrita que se lê esta máxima: «Mais valem dois juntos que um só, pois tiram vantagens da sua associação. Se um cai, o outro sustenta-o. Desgraçado do homem só, pois, quando cair, não terá ninguém que o levante» (Ecl 4,9-12). E esta outra: «O irmão que é ajudado por seu irmão, é como uma cidade forte» (Pr 18,19). Desta propensão natural, como de um único germe, nasce primeiro a sociedade civil; depois no próprio seio desta, outras sociedades que, por serem restritas e imperfeitas, não deixam de ser sociedades verdadeiras.

Entre as pequenas sociedades e a grande, há profundas diferenças, que resultam do seu fim próximo. O fim da sociedade civil abrange universalmente todos os cidadãos, pois este fim está no bem comum, isto é, num bem do qual todos e cada um têm o direito de participar em medida proporcional.

Por isso se chama público, porque «reúne os homens para formarem uma nação» (santo Tomás, *Contra impug. Dei cultum et relig.*, II, 8). Ao contrário, as sociedades que se constituem no seu seio, são frágeis, porque são particulares, e o são com efeito, pois a sua razão de ser imediata é a utilidade particular e exclusiva dos seus membros: «A sociedade particular é aquela que se forma com um fim particular, como quando dois ou três indivíduos se associam para exercerem em comum o comércio» (ibidem). Ora pelo fato de as sociedades particulares não terem existência senão no seio da sociedade civil, da qual são como outras tantas partes, não se segue, falando em geral e considerando apenas a sua natureza, que o Estado possa negar-lhes a existência. O direito de existência foi-lhes outorgado pela própria natureza; e a sociedade civil foi instituída para proteger o direito natural, não para o aniquilar. Por esta razão, uma sociedade civil que proibisse as sociedades públicas e particulares, atacar-se-ia a si mesma, pois todas as sociedades públicas e particulares tiram a sua origem de um mesmo princípio: a natural sociabilidade do homem. Certamente se dão conjunturas que autorizam as leis a opor-se à fundação de uma sociedade deste gênero. Se uma sociedade, em virtude mesmo dos seus estatutos orgânicos, trabalhasse para um fim em oposição flagrante com a probidade, com a justiça, com a segurança, do Estado, os poderes públicos teriam o direito de lhe impedir a formação, ou o de a dissolver, se já estivesse formada. Mas deviam em tudo isto proceder com grande circunspecção para evitar usurpação dos direitos dos cidadãos, e para não estatuir, sob a cor de utilidade pública, alguma coisa que a razão houvesse de desaprovar. Pois uma lei não merece obediência, senão enquanto é conforme com a reta razão e a lei eterna de Deus (santo Tomás, *Sum. Teol.*, I-II, q. 93, a. 3 ad 2).

33. Aqui, apresentam-se ao nosso espírito as confrarias, as congregações e as ordens religiosas de todo o gênero nascidas da autoridade da Igreja e da piedade dos fiéis. Quais foram os seus frutos de salvação para o gênero humano até aos nossos dias, a história o diz suficientemente. Considerando simplesmente o ponto de vista da razão, estas sociedades aparecem como fundadas com um fim honesto, e, conseqüentemente, sob os auspícios do direito natural: no que elas têm de relativo à religião, não dependem senão da Igreja. Os poderes públicos não podem, pois, legitimamente, arrogar-se nenhum direito sobre elas, atribuir-se a sua administração; a sua obrigação é antes respeitá-las, protegê-las e, em caso de necessidade, defendê-las. Justamente o contrário é que nós temos sido condenados a ver, principalmente nestes últimos tempos. Em não poucos países, o Estado tem posto mão nestas sociedades, e tem acumulado a este respeito injustiça sobre injustiça: sujeição às leis civis, privações do direito legítimo de personalidade, espoliação dos bens. Sobre estes bens, a Igreja tinha todavia os seus direitos: cada um dos membros tinha os seus; os doadores, que lhe haviam dado uma aplicação, e aqueles enfim, que delas auferiam socorros e alívio, tinham os seus. Assim não podemos deixar de deplorar amargamente espoliação tão iníquas e tão funestas; tanto mais que se ferem de proscrição as sociedades católicas na mesma ocasião em que se afirma a legalidade das sociedades particulares, e que, aquilo que se recusa a homens pacíficos e que não têm em vista senão a utilidade pública, se concede, e por certo muito amplamente, a homens que meditam planos funestos para a religião e também para o Estado.

As associações operárias católicas

34. Certamente em nenhuma outra época se viu tão grande multiplicidade de associações de todo gênero, principalmente de associações operárias. Não é, porém, aqui o lugar para investigar qual é a origem de muitas delas, qual o seu fim e quais os meios com que tendem para esse fim. Mas é uma opinião, confirmada por numerosos indícios, que elas são ordinariamente governadas por chefes ocultos, e que obedecem a uma palavra de ordem igualmente hostil ao nome cristão e à segurança das nações: que, depois de terem açambarcado todas as empresas, se há operários que recusam entrar em seu seio, elas fazem-lhe expiar a sua recusa pela miséria. Neste estado de coisas os operários cristãos não têm remédio senão escolher entre estes dois partidos: ou darem os seus nomes a sociedades de que a religião tem tudo a temer, ou organizarem-se eles próprios e unirem as suas forças para poderem sacudir denodadamente um jugo tão injusto e tão intolerável. Haverá homens, verdadeiramente empenhados em arrancar o supremo bem da humanidade a um perigo iminente, que possam ter a menor dúvida de que é necessário optar por esse último partido?

É altamente louvável o zelo de grande número dos nossos, que, conhecendo perfeitamente as necessidades da hora presente, sondam cuidadosamente o terreno, para aí descobrirem uma vereda honesta que conduz à reabilitação da classe operária. Constituindo-se protetores das pessoas dedicadas ao trabalho, esforcem-se por aumentar a sua prosperidade, tanto doméstica como individual, e regular com eqüidade as relações recíprocas dos patrões e dos operários; por manter e enraizar em uns e em outros a lembrança dos seus deveres e a observação dos preceitos que, conduzindo o homem à moderação e condenando todos os excessos, mantêm nas nações, e entre elementos tão diversos de pessoas e de coisas, a concórdia e a harmonia mais perfeita. Sob a inspiração dos mesmos pensamentos, homens de grande mérito se reúnem freqüentemente em congresso, para comunicarem mutuamente as idéias, unirem as suas forças, ordenarem programas de ação. Outros ocupam-se em fundar corporações adequadas às diversas profissões e em fazer entrar nelas os artífices: coadjuvam estes com os seus conselhos e a sua fortuna, e providenciam para que nunca lhes falte um trabalho honrado e proveitoso. Os bispos, por seu lado, animam estes esforços e os colocam sob a sua proteção: por sua autoridade e sob os seus auspícios, membros do clero, tanto secular como regular se dedicam, em grande número, aos interesses espirituais das corporações. Finalmente, não faltam católicos que, possuidores de abundantes riquezas, convertidos de alguma sorte em companheiros voluntários dos trabalhadores, não olham as despesas para fundar e propagar sociedades, onde estes possam encontrar, junto com certo bem-estar para o presente, a promessa de honroso descanso para o futuro. Tanto zelo, tantos e tão engenhosos esforços têm já feito entre os povos um bem muito considerável, e demasiado conhecido para que seja necessário falar deles mais detidamente. É a nossos olhos feliz prognóstico para o futuro e esperamos destas corporações os mais benéficos frutos, contanto que continuem a desenvolver-se e que a prudência presida à sua organização. Proteja o Estado estas sociedades fundadas segundo o direito; mas não se intrometa no seu governo interior e não toque nas molas íntimas que lhes dão vida; pois o movimento vital procede essencialmente de um princípio interno, e extingue-se facilmente sob a ação de uma causa externa.

Disciplina e fim destas associações

35. Para que nessas associações haja unidade de ação e acordo de vontades, elas precisam evidentemente de uma sábia e prudente disciplina. Se, pois, como é certo, os cidadãos são livres para se associarem, devem sê-lo igualmente para se dotarem com os estatutos e regulamentos que lhes pareçam mais apropriados ao fim que visam. Quais devem ser estes estatutos e regulamentos? Não cremos que se possam dar regras certas e precisas para lhes determinar os pormenores; tudo depende do gênero de cada nação, das tentativas feitas e da experiência adquirida, do gênero de trabalho, da expansão do comércio, e de outras circunstâncias de coisas e de tempos que se devem pesar com ponderação. Tudo quanto se pode dizer em geral é que se deve tomar como regra universal e constante o organizar e governar por tal forma as corporações que proporcionem a cada um dos seus membros os meios aptos para lhes fazerem atingir, pelo caminho mais cômodo e mais curto, o fim que eles se propõem, e que consiste no maior aumento possível dos bens do corpo, do espírito e da fortuna.

Mas é evidente que se deve visar antes de tudo o objeto principal, que é o aperfeiçoamento moral e religioso. É principalmente este fim que deve regular toda a economia destas sociedades; de outro modo, elas degenerariam bem depressa e cairiam, por pouco que fosse, na linha das sociedades em que não tem lugar a religião. Ora, de que serviria ao artista ter encontrado no seio da corporação a abundância material se a falta de alimentos espirituais pusesse em perigo a salvação da sua alma? «Que vale ao homem possuir o universo inteiro, se vier a perder a sua alma?» (Mt 16,26.) Eis o caráter com que Nosso Senhor Jesus Cristo quis que se distinguisse o cristão do pagão: «Os pagãos procuram todas estas coisas... procurai primeiro o reino de Deus, e todas estas coisas vos serão dadas por acréscimo» (Mt 6,32-33). Assim, pois, tomando a Deus por ponto de partida, dê-se amplo lugar à instrução religiosa a fim de que todos conheçam os seus deveres para com ele; o que é necessário crer, o que é necessário esperar, o que é necessário fazer para obter a salvação eterna, tudo isto lhes deve ser cuidadosamente recomendado; previnam-se com particular solicitude contra as opiniões errôneas e contra todas as variedades do vício. Guie-se o operário ao culto de Deus, inculque-se nele o espírito de piedade, torne-se principalmente fiel à observância dos domingos e dias festivos. Aprenda ele a amar e a respeitar a Igreja, mãe comum de todos os cristãos, a seguir os seus preceitos, a freqüentar os seus sacramentos, que são fontes divinas onde a alma se purifica das suas manchas e bebe a santidade.

Constituída assim a religião em fundamento de todas as leis sociais, não é difícil determinar as relações mútuas a estabelecer entre os membros para obter a paz e a prosperidade da sociedade. As diversas funções devem ser distribuídas da maneira mais proveitosa aos interesses comuns, e de tal modo, que a desigualdade não prejudique a concórdia. Importa grandemente que os encargos sejam distribuídos com inteligência, e claramente definidos, a fim de que ninguém sofra injustiça. Que a massa comum seja administrada com integridade, e que se determine previamente, pelo grau de indigência de cada um dos membros, a quantidade de socorro que deve ser concedido; que os direitos e os deveres dos patrões sejam perfeitamente conciliados com os direitos e deveres dos operários. A fim de atender às reclamações eventuais que se levantem numa ou noutra classe a respeito dos direitos lesados, seria muito para desejar que os próprios estatutos encarregassem homens prudentes e íntegros, tirados do seu seio, para regularem o litígio na qualidade de árbitros.

Convite para os operários católicos se associarem

36. É necessário ainda prover de modo especial a que em nenhum tempo falte trabalho ao operário; e que haja um fundo de reserva destinado a fazer face, não somente aos acidentes súbitos e fortuitos inseparáveis do trabalho industrial, mas ainda à doença, à velhice e os reveses da fortuna.

Estas leis, contanto que sejam aceitas de boa vontade, bastam para assegurar aos fracos a subsistência e um certo bem-estar; mas as corporações católicas são chamadas ainda a prestar os seus bons serviços à prosperidade geral. Pelo passado podemos sem temeridade julgar o futuro. Uma época cede o lugar à outra; mas o curso das coisas apresenta maravilhosas semelhanças, preparadas por essa Providência que tudo dirige e faz convergir para o fim que Deus se propôs ao criar a humanidade. Sabemos que nos primeiros tempos da Igreja lhe imputavam como crime a indigência dos seus membros, condenados a viver de esmolas ou do trabalho. Mas, despojados como eram de riquezas e de poder, souberam conciliar o favor dos ricos e a proteção dos poderosos. Viam-nos diligentes, laboriosos, modelos de justiça e principalmente de caridade. Com o espetáculo de uma vida tão perfeita e de costumes tão puros, todos os preconceitos se dissiparam, o sarcasmo caiu e as ficções de uma superstição inveterada desvaneceram-se pouco a pouco ante a verdade cristã.

A sorte da classe operária, tal é a questão de que hoje se trata, será resolvida pela razão ou sem ela e não pode ser indiferente às nações quer seja de um modo ou de outro. Os operários cristãos resolvê-la-ão facilmente pela razão, se, unidos em sociedades e obedecendo a uma direção prudente, entrarem no caminho em que os seus antepassados encontraram o seu bem e o dos povos. Qualquer seja nos homens a força dos preconceitos e das paixões, se uma vontade pervertida não afogou ainda inteiramente o sentido do justo e do honesto, será indispensável que, cedo ou tarde, a benevolência pública se volte para esses operários, que tenham sido ativos e modestos, pondo a eqüidade acima da ganância, e preferindo a tudo a religião do dever. Daqui, resultará esta outra vantagem: que a esperança de salvação e grandes facilidades para a atingir, serão oferecidas a esses operários que vivem no desprezo da fé cristã, ou nos hábitos que ela reprova. Compreendem, geralmente, esses operários que têm sido joguete de esperanças enganosas e de aparência mentirosas. Pois sentem, pelo tratamento desumano que recebem dos seus patrões, que quase não são avaliados senão pelo peso do ouro produzido pelo seu trabalho; quanto às sociedades que os aliciaram, bem vêem eles que, em lugar da caridade e do amor, não encontram nelas senão discórdias internas, companheiras inseparáveis da pobreza insolente e incrédula. A alma embotada, o corpo extenuado, quanto não desejariam sacudir um jugo tão humilhante! Mas, ou por causa do respeito humano ou pelo receio da indigência, não ousam fazê-lo. Para todos esses operários podem as sociedades católicas ser de maravilhosa utilidade, se convidarem os hesitantes a procurarem nela um remédio para todos os males, e acolherem pressurosas os arrependidos e lhes assegurarem defesa e proteção.

Solução definitiva: a caridade

37. Vede, veneráveis irmãos, por quem e por que meios esta questão tão difícil demanda ser tratada e resolvida. Tome cada um a tarefa que lhe pertence, e isto sem demora, para que não suceda que, diferindo-se o remédio, se torne incurável o mal, já por si tão grave. Façam os governantes uso da autoridade protetora das leis e das instituições; lembrem-se os ricos e os patrões dos seus deveres; tratem os operários, cuja sorte está em jogo, dos seus interesses pelas vias legítimas; e, visto que só a religião, como dissemos a princípio, é capaz de arrancar o mal pela raiz, lembrem-se todos de que a primeira coisa a fazer é a restauração dos costumes cristãos, sem os quais os meios mais eficazes sugeridos pela prudência humana serão pouco aptos para produzir salutares resultados. Quanto à Igreja, a sua ação jamais faltará por qualquer modo, e será tanto mais fecunda, quanto mais livremente se possa desenvolver. Nós desejamos que compreendam isto sobretudo aqueles cuja missão é velar pelo bem público. Empreguem neste ponto os ministros do santuário toda a energia da sua alma e generosidade do seu zelo, e guiados pela vossa autoridade e pelo vosso exemplo, veneráveis irmãos, não se cansem de recomendar a todas as classes da sociedade as máximas do Evangelho; façamos tudo quanto estiver ao nosso alcance para a salvação dos povos e, sobretudo, alimentem em si e acendam nos outros, nos grandes e nos pequenos, a caridade, senhora e rainha de todas as virtudes. Portanto, a salvação desejada deve ser principalmente o fruto de uma grande efusão de caridade, queremos dizer, daquela caridade que compendia em si todo o Evangelho, e que, sempre pronta a sacrificar-se pelo próximo, é o antídoto mais seguro contra o orgulho e o egoísmo do século. Desta virtude, descreveu são Paulo as feições características com as seguintes palavras: «A caridade é paciente, é benigna, não cuida do seu interesse; tudo espera; tudo suporta...» (1Cor 13,4-7).

Como sinal dos favores celestes e penhor de nossa benevolência, a cada um de vós, veneráveis irmãos, ao vosso clero e ao vosso povo, com grande afeto no Senhor, concedemos a bênção apostólica.

Dada em Roma, junto de são Pedro, aos 15 de maio de 1891, no décimo quarto ano do nosso pontificado.

LEÃO PP. XIII

ÍNDICE

Apresentação	5
Introdução (n. 1)	9
Causas do conflito (n. 2)	10
A solução socialista (n. 3)	11
A propriedade particular (nn. 4-5)	11
Uso comum dos bens criados e propriedade particular deles (n. 6)	13
A propriedade sancionada pelas leis humanas e divinas (n. 7)	15
A família e o Estado (n. 8)	16
O comunismo princípio de empobrecimento (n. 9)	19
A Igreja e a questão social (n. 10)	19
Não luta, mas concórdia das classes (n. 11)	20
Obrigações dos operários e dos patrões (nn. 12-13)	22
Posse e uso das riquezas (n. 14)	25
Dignidade do trabalho (n. 15)	25
Comunhão de bens de natureza e de graça (n. 16)	28
Exemplo e magistério da Igreja (n. 17)	29
A Igreja e a caridade durante os séculos (n. 18)	31
O concurso do Estado (n. 19)	33

Origem da prosperidade nacional (n. 20) 33
O governo é para os governados
e não vice-versa (n. 21) 37
Obrigações e limites da intervenção do Estado (n. 22) ... 37
O Estado deve proteger
a propriedade particular (n. 23) 39
Impeça as greves (n. 24) 39
Proteja os bens da alma (nn. 25-26) 40
Proteção do trabalho dos operários,
das mulheres e das crianças (nn. 27-28) 41
O quantitativo do salário dos operários (n. 29) 43
A economia como meio de conciliação
das classes (n. 30) 45
Benefício das corporações (n. 31) 47
As associações particulares e o Estado (nn. 32-33) 48
As associações operárias católicas (n. 34) 50
Disciplina e fim destas associações (n. 35) 52
Convite para os operários católicos
se associarem (n. 36) 55
Solução definitiva: a caridade (n. 37) 57

Rua Dona Inácia Uchoa, 62
04110-020 – São Paulo – SP (Brasil)
Tel.: (11) 2125-3500
paulinas.com.br – editora@paulinas.com.br
Telemarketing e SAC: 0800-7010081